La famille

Fiona Undrill

KU-400-102

	CHESHIRE LIBRARIES	
PETERS	26-Nov-07	
£10.50		

Heinemann
LIBRARY

Family

www.heinemann.co.uk/library
Visit our website to find out more information about Heinemann Library books.

To order:
☎ Phone 44 (0) 1865 888066
    Send a fax to 44 (0) 1865 314091
📄 Visit the Heinemann Bookshop at www.heinemann.co.uk/library to browse our
💻 catalogue and order online.

First published in Great Britain by Heinemann Library, Halley Court, Jordan Hill, Oxford OX2 8EJ, part of Harcourt Education. Heinemann is a registered trademark of Harcourt Education Ltd.

© Harcourt Education Ltd 2007
The moral right of the proprietor has been asserted.

All rights reserved. No part of this publication may be reproduced, stored in a retrieval system, or transmitted in any form or by any means, electronic, mechanical, photocopying, recording, or otherwise, without either the prior written permission of the publishers or a licence permitting restricted copying in the United Kingdom issued by the Copyright Licensing Agency Ltd, 90 Tottenham Court Road, London W1T 4LP (www.cla.co.uk).

Editorial: Charlotte Guillain
Design: Joanna Hinton-Malivoire
Picture research: Ruth Blair
Production: Duncan Gilbert

Printed and bound in China by
Leo Paper Group.

ISBN 9780431931265 (hardback)
11 10 09 08 07
10 9 8 7 6 5 4 3 2 1
ISBN 9780431931364 (paperback)
11 10 09 08 07
10 9 8 7 6 5 4 3 2 1

British Library Cataloguing in Publication Data
Undrill, Fiona
La famille = Family. - (Modern foreign languages readers)
1. French language - Readers - Family 2. Family - Juvenile literature 3. Vocabulary - Juvenile literature
448.6'421
A full catalogue record for this book is available from the British Library.

Acknowledgements
The publishers would like to thank the following for permission to reproduce photographs:
© Corbis p. **12** (Richard Lewis/epa); © Getty Images p. **8** (Matthew Lewis/Stringer); © PA Photos pp. **11**, **19**; © Rex Features pp. **3**, **4** (Simon Roberts), **4**, **7** (Richard Young), **16** (David Fisher), **6**, **15**

Cover photograph reproduced with permission of © Robert Harding (Bananstock).

Every effort has been made to contact copyright holders of any material reproduced in this book. Any omissions will be rectified in subsequent printings if notice is given to the publishers.

Table des matières

Try to read the question and choose an answer on your own.

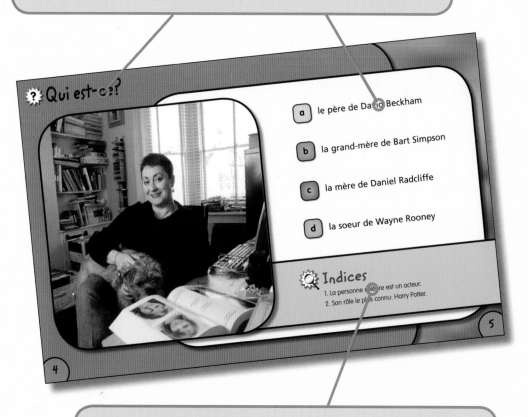

Qui est-ce?

a   le père de David Beckham

b   la grand-mère de Bart Simpson

c   la mère de Daniel Radcliffe

d   la soeur de Wayne Rooney

Indices
1. La personne célèbre est un acteur.
2. Son rôle le plus connu: Harry Potter.

4

5

You might want some help with text like this.

Qui est-ce?

a le père de David Beckham

b la grand-mère de Bart Simpson

c la mère de Daniel Radcliffe

d la soeur de Wayne Rooney

 Indices

1. La personne célèbre est un acteur.
2. Son rôle le plus connu: Harry Potter.

Réponse

c la mère de Daniel Radcliffe

Daniel Radcliffe

- Né: le 23 juillet 1989

- Taille: 1m 70

- Famille: fils unique

- Connu comme: acteur (Harry Potter)

- Fait intéressant: l'adolescent le plus riche au Royaume-Uni

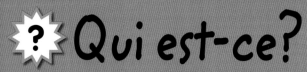 Qui est-ce?

a le frère de Andy Murray

b l'oncle de Madonna

c le grand-père de Robbie Williams

d le père du Prince William

 Indices

1. La personne célèbre est un joueur de tennis.
2. Il est écossais.

✓ Réponse

a   le frère de Andy Murray

Andy Murray

- Né: le 15 mai 1987

- Taille: 1m 87

- Famille: un frère

- Connu comme: joueur de tennis écossais

- Fait intéressant: son sport préféré: la boxe

Qui est-ce?

a le grand-père de Winston Churchill

b la tante du Prince Charles

c la soeur de Cat Deeley

d la grand-mère du Prince William

 Indices

1. Le Prince Charles est le père de cette personne célèbre.
2. Le frère de cette personne célèbre s'appelle Harry.

Réponse

d la grand-mère du Prince William

Le Prince William

- Né: le 21 juin 1982

- Taille: 1m 90

- Famille: un frère

- Connu comme: le futur roi du Royaume-Uni

- Fait intéressant: il soutient Aston Villa.

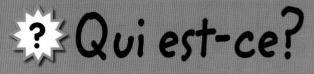 # Qui est-ce?

a le frère de Eddie Murphy

b la mère de Johnny Depp

c la tante de Elvis Presley

d la soeur de Kylie Minogue

 Indices

1. La personne dans l'image s'appelle Danni.
2. La personne célèbre est une chanteuse australienne.

Réponse

d   la soeur de Kylie Minogue

Kylie Minogue

- Née: le 28 mai 1968

- Taille: 1m 52

- Famille: une soeur, un frère

- Connue comme: chanteuse

- Fait intéressant: elle était actrice (séries de télévision australiens, par exemple, *Neighbours*)

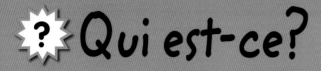

Qui est-ce?

a la mère de David Tennant

b le père de Billie Piper

c le frère de Britney Spears

d l'oncle de Tom Cruise

 Indices

1. La personne célèbre est une actrice.
2. Son rôle le plus connu: Rose Tyler dans *Dr Who*.

b le père de Billie Piper

Billie Piper

- Née: le 22 septembre 1982

- Taille: 1m 65

- Famille: un frère, deux soeurs

- Connue comme: actrice (Rose Tyler, dans *Dr Who*)

- Fait intéressant: en 1998, sa chanson *Because we want to* était numéro 1 (au hit-parade)

Vocabulaire

Français Anglais page

un acteur/ une actrice
actor 5, 6, 18, 21, 23
un adolescent(e)
teenager 6
australien(ne) Australian
17, 18
la boxe boxing 10
un casse-tête puzzle 3
célèbre famous 5, 9, 13,
17, 21
une chanson song 23
un chanteur/ une
chanteuse singer 17,
18
comme as 6, 10, 14, 18,
23
connu(e) known 5, 6, 10,
14, 18, 21, 23
dans in 17, 21, 23
de of 5, 6, 9, 10, 13, 14,
17, 18, 21, 22
deux two 23
écossais(e) Scottish 9, 10
en in 23
un fait intéressant
interesting fact 6, 10, 14,
18, 23
la famille family 1, 6, 10,
14, 18, 23
un fils unique only child
6
un frère brother 9, 10,
13, 14, 17, 18, 21, 23
futur future 14
une grand-mère
grandmother 5, 13, 14

un grand-père
grandfather 9, 13
le hit-parade charts 23
une image picture 17
un indice clue 5, 9, 13
un joueur de tennis
tennis player 9, 10
juillet July 6
juin June 14
mai May 10, 18
une mère mother 5, 6,
17, 21
né(e) born 6, 10, 14, 23
un numéro 1 number 1
23
un oncle uncle 9, 21
par exemple for
example 18
un père father 5, 9, 13,
21, 22
une personne person 5,
9, 13, 17, 21
plus most 5, 6, 21
préféré(e) favourite 10
Qui est-ce? Who is it? 4,
8, 12, 16, 20
la réponse answer 6,
10, 14, 18, 22
riche rich 6
un roi king 14
un rôle role 5, 18
le Royaume-Uni the
United Kingdom 6
s'appeler to be called
13, 17
septembre September
23

une séries de télévision
television series 18
une soeur sister 5, 13,
17, 18, 23
soutient (soutenir)
support (to support) 14
le sport sport 10
la table des matières
contents 3
la taille height 6, 10, 14,
18, 23
une tante aunt 13, 17
le vocabulaire
vocabulary 3, 24

24

EDUCATION LIBRARY SERVICE

Browning Way
Woodford Park Industrial Estate
Winsford
Cheshire CW7 2JN

Phone: 01606 592551/557126
Fax: 01606 861412